Roedd e wedi ceisio codi wal, ond gollyngodd fricsen ar ei droed.

He had tried being a bricklayer, but he had dropped a brick on his foot.

BANG!

THUD!

AW!

OUCH!

Roedd e hyd yn oed wedi rhoi cynnig ar weithio mewn ffatri gwneud gobennydd.

He had even tried working at the pillow factory.

Pwy allai gael niwed mewn ffatri gwneud gobennydd?

Who could hurt themselves in a pillow factory?

Pwy ond Mr Hergwd?

Mr Bump, of course!

Aeth pluen i mewn i'w lygad.

He got a feather in his eye!

AW!

OUCH!

Bob dydd roedd angen rhwymo bys neu fraich neu goes. Roedd Mr Hergwd druan wedi cael llond bola.

Every day it was bandage this and bandage that. Poor Mr Bump was very fed up.

Yna, un diwrnod, pan oedd Mr Hergwd yn mynd am dro drwy'r coed y tu cefn i'r tŷ, cwrddodd e â rhywun a roddodd syniad penigamp iddo.

Then one day, while Mr Bump was walking in the woods behind his house, he met someone who gave him a wonderful idea.

Syniad penigamp am swydd ddelfrydol.

The perfect idea for a new job.

A'r rhywun hwnnw oedd marchog urddasol a oedd yn digwydd mynd heibio ar gefn ei geffyl.

That someone was a Knight in shining armour, riding by on his horse.

I chi gael deall, nid meddwl am gyffro ac antur swydd Marchog a ddenodd ddychymyg Mr Hergwd, na meddwl am enwogrwydd a chyfoeth chwaith. Na, roedd Mr Hergwd wedi'i swyno gan yr arfwisg.

Now, it was not the thought of the excitement and adventure of being a Knight that caught Mr Bump's imagination, nor was it the idea of the fame and fortune he might win. No, it was the Knight's solid, metal armour that caught his eye.

Arfwisg sgleiniog a amddiffynnai'r Marchog rhag pob bwmp a chlais a chrafiad ac anaf.

Shining armour that protected the Knight from bumps and bruises, scrapes and scratches.

"Pe bai gen i arfwisg fel honna," meddyliodd Mr Hergwd yn dawel bach, "fyddwn i byth eto'n poeni am gael bwmp arall. Dwi am fod yn Farchog."

"If I wore armour like that," thought Mr Bump to himself, "I would never need to worry about bumping myself again. I shall become a Knight."

Yn gynnar fore trannoeth, rhuthrodd Mr Hergwd at y gof i brynu arfwisg iddo'i hunan.

Early the next morning, Mr Bump rushed to the blacksmith's to buy himself a suit of armour.

Esboniodd y gof wrtho sut i wisgo'r arfwisg yn ofalus i osgoi holl gleisiau Mr Hergwd, ond ar ôl iddo ei gwisgo, edrychodd Mr Hergwd ar ei adlewyrchiad yn y drych a gwenodd.

The blacksmith had to put the armour on very carefully to avoid Mr Bump's bruises, but when he had it on, Mr Bump looked at his reflection in the mirror and smiled.

Yna, prynodd lyfr o'r enw 'Marchogion: Yr Holl Wybodaeth'.

Mr Bump then bought a book called 'Knights, All You Need to Know'.

"Nawr," meddai Mr Hergwd gan agor y llyfr, "beth mae marchogion yn ei wneud?"

"Now," said Mr Bump, opening the book, "what do Knights do?"

Darllenodd bennod gyfan am waywffyn. Yna, aeth allan a phrynodd geffyl a gwaywffon ac aeth i gystadleuaeth ymladd â gwaywffon.

He read a whole chapter about jousting. Then he went out and bought a horse and a lance and went to a local jousting tournament.

Fodd bynnag, deallodd Mr Hergwd yn ddigon cyflym nad oedd e'n un da iawn am ymladd â gwaywffon. Bob tro roedd e'n eistedd ar ei geffyl, roedd e'n syrthio.

However, Mr Bump quickly found out that he was not very good at jousting. Every time he sat on his horse he fell off.

CRASH!

CRASH!

Roedd y marchogion eraill yn meddwl bod hyn yn ddoniol iawn.

The other Knights thought it was hilarious.

Y noson honno, agorodd Mr Hergwd ei lyfr a darllenodd bennod o'r enw 'Achub Morynion Mewn Trallod'.

That evening, Mr Bump opened his book and read a chapter called 'Saving Damsels in Distress'.

Marchogion:
Yr Holl
Wybodaeth

Fore trannoeth, bant ag e i chwilio am forwyn mewn trallod.

The next day, he set off, on foot, to find a damsel in need of saving.

Yn ffodus, gan ei bod hi'n anodd iawn cerdded mewn arfwisg, daeth Mr Hergwd o hyd i forwyn ar bwys ei dŷ.

Fortunately, because it was very awkward walking in a suit of armour, Mr Bump found one near his house.

Roedd morwyn wedi'i charcharu mewn tŵr uchel.

A damsel locked in a very tall tower.

"A wnewch chi f'achub i, Syr Marchog?" galwodd y Forwyn.

"Will you save me, Sir Knight?" cried the Damsel.

"Wrth gwrs!" atebodd Mr Hergwd.

"I will!" Mr Bump called back.

Gollyngodd y Forwyn ysgol a oedd wedi'i gwneud o'i gwallt hir, prydferth.

The Damsel let down a ladder woven from her long, fine hair.

Ond, er ceisio a cheisio, ni allai Mr Hergwd ddringo'r ysgol.

But try as hard as he might, Mr Bump could not climb the ladder.

Roedd yn syrthio bob gafael.

He kept falling off at every attempt.

BANG! CRASH! CLYNC!

BANG! CRASH! CLUNK!

Roedd yn teimlo trueni drosto'i hunan a thros y Forwyn.
A cherddodd yn benisel tuag adref.

Feeling rather sorry for himself, and even more sorry for the Damsel, Mr Bump trudged off home.

Teitl y bennod nesaf yn y llyfr oedd 'Lladd Dreigiau'.

The next chapter in the book was entitled 'Slaying Dragons'.

"Dyna'r un i fi!" gwaeddodd Mr Hergwd.

"That's the one for me!" cried Mr Bump.

Drannoeth, aeth Mr Hergwd i brynu cleddyf a tharian, ac aeth i chwilio am ddraig. Doedd yr un ddraig yn agos, felly aeth ar fws.

The following day, Mr Bump bought a sword and shield and went in search of a dragon. There were not any near by, so he caught the bus.

Roedd draig yn cysgu ar ben bryn serth.

The dragon was asleep on the top of a steep hill.

A bu'n rhaid i Mr Hergwd bwlffagan tipyn cyn cyrraedd pen y bryn.

It took Mr Bump a lot of huffing and puffing to climb to the top.

Arhosfan
Bws

Ar ôl cyrraedd y copa o'r diwedd, cododd ei gleddyf fry i ladd y ddraig, ond dechreuodd Mr Hergwd wegian dan bwysau'r cleddyf.

When he finally reached the top, he raised his sword above his head to slay the dragon, but the weight of the sword tipped Mr Bump off balance.

Gyda SŴN SGRECHIAN SYFRDANOL ei arfwisg, rholiodd yr holl ffordd i lawr i droed y bryn.

With a great CRASHING and CLATTERING of armour, he rolled all the way down the hill.

Cyrhaeddodd Mr Hergwd adre 'nôl y noson honno'n ddyn bach trist iawn.

It was a very sad Mr Bump who got back home later that day.

Bu'n rhaid iddo wynebu'r ffaith nad oedd deunydd marchog ynddo.

He had to face the fact that he was not cut out to be a Knight.

Aeth i'w stafell wely a thynnu'r arfwisg.

He went up to his bedroom and took off his armour.

Ac yna, sylwodd ar rywbeth syfrdanol.

And then he noticed something quite remarkable.

Pan welodd ei hunan yn y drych, gwelodd Mr Hergwd gwahanol iawn yn edrych 'nôl arno.

When he glimpsed himself in the mirror, it was a very different Mr Bump looking back at him.

Mr Hergwd heb rwymyn na phlaster o gwbl.

A Mr Bump without a bandage or a plaster in sight.

Mr Hergwd heb fwmp na chlais.

A Mr Bump without a bump or a bruise.

Gwenodd Mr Hergwd.

Mr Bump smiled.

Chwarddodd Mr Hergwd . . .

And then he laughed . . .

. . . ac yna fe syrthiodd am yn ôl a bwrw'i ben yn erbyn y gwely!

. . . and then he fell over backwards and bumped his head on the bed!

Llyfrau Mr. Men a Miss Fach

gyda Sglein ychwanegol!

Mr. Men and Little Miss books

with added Sparkle!

3+

RILY

£2.99

www.rily.co.uk

ISBN 978-1-90435
9 781904 357

www.mrmen.com